Est-ce possible de toucher un arc-en-ciel?

Sue Nicholson

Illustrations de Lalalimola

Texte français du Groupe Syntagme

■SCHOLASTIC

Peut-on se tenir debout sur un nuage?

Non! Les nuages ont parfois l'air d'être en **coton épais,** mais si tu mettais le pied dessus...

Si les nuages portaient des sous-vêtements, que porteraient-ils?

tu passerais **au travers!**

Des bobettes du tonnerre!

Les nuages sont faits de **millions** de gouttes d'eau ou de cristaux de glace **minuscules.**

Quand les gouttes ou les cristaux deviennent trop gros, ils tombent sous forme de pluie ou de neige.

Quand un léger **cumulus** blanc devient gris et gros, cours vite te mettre à l'abri! Une tempête se prépare!

Les **stratus** sont gris et allongés. Ils apportent toujours de la pluie. N'oublie pas ton parapluie!

Peux-tu **repérer** le **hibou Je-sais-tout** et ses **petits** dans les pages de ce livre?

Une plante peut-elle manger un lion?

Non, les plantes ne mangent pas les gros lions. Mais il y a des **plantes gourmandes** qui mangent de petits animaux, par exemple de bonnes grosses mouches ou des fourmis.

Une mouche se pose sur une **dionée attrape-mouche** et **VLAN!** La plante referme ses mâchoires et la mouche est prise au piège.

Une fourmi s'aventure sur le bord glissant d'une **sarracénie pourpre.**

Elle **dégringole** jusqu'au fond...

avant d'être transformée en **bouillie.**
Ouache!

Imagine...
Il faut environ **10 jours** à la dionée attrape-mouche pour digérer une mouche!

Où va l'eau des rivières?

Les cours d'eau prennent souvent leur source dans les montagnes. Ils ne sont alors qu'un mince filet d'eau qui dévale la pente.

La pluie ou la neige fondante alimentent ce petit filet d'eau. Il grossit et devient rapidement une rivière.

DÉPART

Parfois, la rivière se jette dans une autre rivière pour former un **fleuve,** c'est-à-dire une **grande rivière.**

ARRIVÉE

Parfois, la rivière se jette dans un lac.

La plupart des fleuves aboutissent dans l'océan.

Le vent siffle-t-il pour de vrai?

La nuit, quand le vent siffle ou qu'il hurle comme un monstre, est-ce que ça te réveille?

Sois sans crainte! Le vent n'est pas une chose vivante et il ne siffle pas. Ce que tu entends, c'est le bruit de l'air qui **se déplace** rapidement d'un endroit à un autre.

As-tu déjà entendu le vent siffler dans les branches?

Les feuilles **frémissent,** les rameaux **bruissent** et les branches **gémissent.**

Quand une tempête souffle, il y a des branches qui **CASSENT.**

Si c'est une forte tempête, le vent peut même **ABATTRE** des arbres!

Les montagnes grandissent-elles?

Oui, il y a des montagnes qui grandissent constamment. La montagne la plus **haute** du monde, le mont Everest, grandit de quelques millimètres par année.

Le mont Everest fait **8 848** mètres. C'est presque aussi haut que **125** avions gros porteurs mis bout à bout.

Comment appelle-t-on une montagne qui a le hoquet?

Un volcan!

Le mont Everest continue à grandir parce que, en dessous, il y a des roches qui n'arrêtent pas de **se bousculer,** et ça pousse la montagne vers le haut.

Les flocons de neige sont-ils faits de crème glacée?

Quand tu marches dans la neige, elle craque et elle crisse.
De quoi la neige est-elle faite?
De crème glacée?

NON! Les flocons de neige sont de minuscules gouttes d'eau qui se sont changées en **glace,** dans les **nuages.** Ces minuscules grains de glace se collent ensemble et forment des flocons de neige.

Quand les flocons de neige deviennent **GROS et lourds,** ils tombent au sol : c'est la neige.

Peux-tu trouver **six** différences entre ces deux flocons de neige?

Tous les flocons de neige ont **six côtés** et sont **uniques.**

Qu'est-ce qu'un foulard dit à un chapeau?

Reste là-haut, moi je vais faire un tour ou deux!

Pourquoi les arbres perdent-ils leurs feuilles?

Les arbres laissent les feuilles tomber parce qu'ils n'en ont plus besoin!

Je plane!

Le froid des longs mois d'hiver peut endommager les feuilles. Alors, les arbres prennent tous les bons nutriments qui s'y trouvent encore, puis...

Je flotte!

ils les laissent tomber.

Compte les feuilles tombées de l'arbre.
Y en a-t-il 5, 10 ou 12?

Les feuilles sont souvent emportées très loin par le vent.

Je vole!

Quand la chaleur revient,
au printemps, d'autres
feuilles poussent
sur les arbres.

Certains arbres ne
perdent **jamais** leurs
feuilles. C'est parce
qu'ils poussent là où il
fait chaud et humide.
Les **conifères,** eux,
ont des aiguilles. Elles
résistent au froid et à
la sécheresse.

Comment les flaques d'eau disparaissent-elles?

Quand il pleut, il se forme beaucoup de flaques d'eau. **Dépêche-toi** de sauter dedans! Les flaques disparaîtront bien vite lorsque la pluie cessera, surtout si le soleil se montre!

Le soleil dégage beaucoup de **chaleur**. L'eau des flaques se transforme en **vapeur d'eau,** et la vapeur d'eau **monte** dans les airs.

Flic!

Flac!

Floc!

Il arrive aussi que le sol absorbe l'eau.

Quand il tombe une **petite bruine,**
il ne se forme pas de flaques...

Je tombe de très
haut, mais je ne me
fais jamais mal.
Qui suis-je?
**Une goutte
de pluie!**

mais une *violente* averse crée
souvent d'énormes flaques!

Pourquoi l'été ne
veut-il pas rester
plus longtemps?
**Il ne veut pas
être PLUVIEUX
(plus vieux).**

Qu'est-ce qui réveille les volcans?

Les volcans se réveillent lorsque des roches bouillantes, le **magma**, cherchent à s'en échapper. Le magma **monte** et **monte** à l'intérieur de la montagne, et **monte** et **monte** à l'intérieur de la montagne, puis... BANG!

Le magma trouve enfin la sortie et le volcan entre en éruption. On appelle cela un **volcan actif**.

Un volcan **en sommeil** semble s'être **endormi**. Il faut quand même se méfier, car à l'intérieur, il y a toujours du magma qui voudrait bien s'échapper. Un jour, le volcan pourrait se réveiller avec

FRaCAS!

On dit qu'un volcan est **éteint** quand il n'a plus de magma à l'intérieur. Ce volcan n'entrera plus jamais en éruption.

La Terre a-t-elle un toit?

La Terre n'a pas de toit parce que le ciel n'a pas de fin.
Le ciel est fait de couches de gaz de plus en plus minces qui
s'É T E N D E N T jusqu'à ce que l'espace commence.

Vue de l'espace, la Terre est une magnifique boule de couleur bleu-vert.

L'atmosphère est une autre façon de dire le ciel.
Ce sont toutes les couches de gaz qui entourent la Terre.

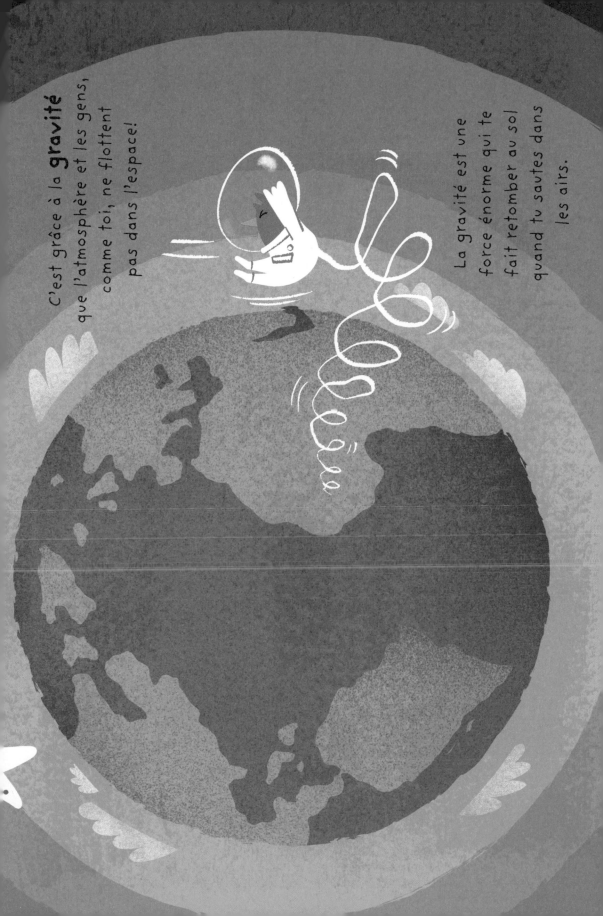

C'est grâce à la **gravité** que l'atmosphère et les gens, comme toi, ne flottent pas dans l'espace!

La gravité est une force énorme qui te fait retomber au sol quand tu sautes dans les airs.

Ai-je besoin d'un parapluie dans le désert?

Non, **inutile** d'emporter ton parapluie. Les déserts sont des endroits **secs** où il ne pleut presque jamais. Par contre, un parasol qui entre dans ta valise serait utile : il te protégerait du soleil brûlant!

Quel est le film préféré des chameaux?

Le Bossu de Notre-Dame.

Le jour, il fait une chaleur torride dans le désert. Mais la nuit, il peut y faire un **froid glacial**. Il arrive même qu'il **neige! Brrrrr!**

Le désert le plus sec du monde est situé dans l'Antarctique. Il a pour nom **les vallées sèches**. Il n'y est pas tombé une goutte de pluie depuis **DEUX millions d'années.** Ça fait looooongtemps!

Peut-on boire l'eau de la mer?

Non, l'eau de mer n'est **pas bonne** à boire.
Sauf si tu es un poisson, bien sûr.

Il y a beaucoup de sel dans
l'eau de mer. Si tu consommes
trop de sel, tu risques fort de
tomber malade.

Quels ouvriers
aiment le plus
jouer dans l'eau?

Les
menuisiers!
Ils font la
planche!

Il y a environ une **cuillerée
à table** de sel dans un verre
d'eau de mer.

La mer emporte de la terre ferme de tous petits fragments de roche salés appelés **minéraux**. C'est pourquoi l'eau de mer est salée.

On compte cinq **océans** sur la Terre : l'océan Pacifique, l'océan Atlantique, l'océan Indien, l'océan Austral et l'océan Arctique.

Terre à l'horizon !

Les cinq océans recouvrent environ les trois-quarts de notre belle planète bleue. L'océan Pacifique est le plus grand des cinq.

Pleut-il beaucoup dans la forêt tropicale?

Oui, il pleut tous les jours dans ce type de forêt. C'est parce qu'il y fait toujours chaud et humide.

Les **arbres** sont **très hauts.** Ils atteignent parfois 60 mètres de hauteur. C'est presque aussi haut que 12 maisons empilées l'une sur l'autre.

Dans la forêt tropicale, le feuillage est épais et très dense. Il forme une sorte de parasol GÉANT et vert qu'on appelle la **canopée**. Peux-tu trouver un paresseux et une araignée?

Les gouttes de pluie qui tombent sur la canopée peuvent prendre jusqu'à **10 minutes** pour arriver au sol.

Les plantes ont-elles des bébés?

Les plantes n'ont pas de bébés, mais elles produisent des **graines.** Les graines se transforment en bébés plantes, qu'on appelle des **pousses.**

Les plantes ne s'occupent pas de leurs bébés comme nous le faisons. Elles s'assurent toutefois que les graines auront suffisamment de nourriture pour bien se développer.

Les graines se déplacent
de toutes sortes de façons
pour trouver un endroit
où **grandir.**

Il y en a qui roulent sur le sol.

D'autres voyagent en s'accrochant à la fourrure d'un animal!

Certaines se laissent porter par les vagues de l'océan.

D'autres ont de toutes petites ailes,
ou bien la forme d'un parachute!

Peut-on toucher un arc-en-ciel?

Non, les arcs-en-ciel sont faits de lumière, et il est impossible de toucher la lumière.

Un arc-en-ciel apparaît lorsque les rayons du soleil passent au travers de gouttelettes d'eau. L'eau sépare la lumière en différentes couleurs.

Il manque deux couleurs pour peindre un arc-en-ciel. Lesquelles?

ORANGE

JAUNE

VERT

VIOLET

INDIGO

Y a-t-il des créatures vivantes au fond de l'océan?

DES MILLIONS de créatures vivent juste sous les vagues. Des **poissons** fabuleux et des **dauphins** joyeux, mais aussi des **requins** qui se lèchent les babines et des **étoiles de mer** couvertes d'épines.

Mais, si on plonge très, très, très **profond**

jusqu'au plancher océanique (oui, l'océan a un plancher)...

on découvre des
volcans fumants...

et, plus profondément encore, on
trouve des **fosses** où l'obscurité
est totale et le froid, glacial.
Personne ne sait exactement quelles
créatures extraordinaires y vivent!

De quoi le Soleil est-il fait?

Le Soleil, c'est une

GIGANTESQUE

boule de gaz très chauds qui
tourbillonnent en provoquant des
explosions. Un de ces gaz s'appelle
l'**hydrogène.** Quand l'hydrogène
explose, il projette de la chaleur et de
la lumière partout dans l'espace.

Ne regarde jamais
directement le
soleil, cela pourrait
endommager tes yeux.

Sans la chaleur et la lumière du Soleil, il ferait froid et noir sur la Terre. Il n'y aurait ni plantes ni animaux.

Pourquoi le Soleil va-t-il à l'école?

Pour devenir plus brillant!

Imagine...
si la Terre était un peu plus proche du Soleil, elle brûlerait!

Pourquoi les éclairs zigzaguent-ils?

Les éclairs sont d'énormes jets d'électricité qui
se déplacent en empruntant les zones du ciel
où il y a le plus d'électricité. Même si ce chemin
ne forme pas une ligne droite, c'est le chemin
le plus rapide entre les nuages et le sol.

Fais une expérience...

Remplis un seau d'eau et va à l'extérieur
chercher un petit coin de terrain en pente
où il y a des cailloux et de la poussière.
Verse l'eau doucement du haut de la pente.
Que se passe-t-il?

As-tu vu?

L'eau descend la pente en
faisant des zigzags pour
contourner les cailloux et
la poussière. Tout comme
l'éclair, l'eau cherche le
chemin le plus facile.

Pourquoi le ciel est-il bleu?

La lumière du Soleil semble être blanche, mais en fait, elle est composée des sept couleurs de l'arc-en-ciel!

La lumière bleue
se **disperse** plus
que les autres couleurs...

c'est pourquoi le ciel
paraît bleu.

Ne regarde jamais
directement le soleil,
cela pourrait
endommager tes yeux.

Plus la lumière bleue s'éloigne du Soleil, plus elle se disperse. Quand elle finit par arriver jusqu'à nos yeux, la couleur bleue est très pâle. Et parfois même, le ciel semble blanc.

Le soir, au **coucher du Soleil,** ce sont les couleurs rouge et orange qui se dispersent davantage.

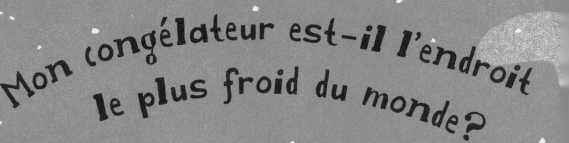

Mon congélateur est-il l'endroit le plus froid du monde?

Non : c'est en Antarctique qu'il fait **le plus froid.** L'hiver, la température peut descendre jusqu'à **-60 degrés Celsius.** Brrrr! C'est **trois fois plus froid** que dans ton congélateur!

Qu'est-ce qui est noir et blanc et qui monte et descend?

Un manchot dans un ascenseur!

La plus grande partie de l'Antarctique est recouverte d'une **couche de glace** de plus de 1,6 km d'épaisseur. C'est comme 50 baleines bleues mises l'une à la suite de l'autre!

Imagine...

Les pingouins éternuent pour se débarrasser de l'eau salée qu'ils avalent en mangeant des poissons!

Pourquoi le tonnerre nous fait-il sursauter?

Le tonnerre est le bruit produit par la foudre pendant un orage. On entend le tonnerre de loin, quand il **gronde.** Mais quand il est proche, il **éclate** avec **FRACAS** et fait sursauter!

BOUM!

BOUM!

La foudre fait du bruit
parce qu'elle chauffe
l'air qui l'entoure. Il y a comme un
bruit d' **explosion** et on dirait que l'air
CRAQUE!

BOUM!

On voit l'éclair avant d'entendre le tonnerre parce
que la lumière voyage dans l'air *plus vite* que le son.

Les plantes dansent-elles?

On pourrait croire que les plantes dansent lorsque le vent les fait **ondoyer** et **frémir.** Mais les plantes ne dansent ni le ballet ni la valse!

Les tournesols **se tournent** vers le Soleil et suivent son déplacement dans le ciel.

La plante télégraphe, parfois appelée **plante dansante,** remue ses feuilles de haut en bas et de bas en haut pour suivre le Soleil.

Si tu touches la sensitive pudique, aussi appeleé mimosa pudique, elle inclinera sa tige comme si elle faisait **une révérence.**

Où vont les étoiles, le matin?

Nulle part : elles restent là-haut, dans le ciel. On ne les voit plus parce que le Soleil est trop **lumineux.**

Le Soleil est une étoile aussi. C'est l'étoile la plus proche de la Terre.

Mais il a beau être proche de la Terre, le Soleil est quand même très, très loin. Si tu voulais t'y rendre en voiture, cela te prendrait **plus de 100 ans!**

Ne regarde jamais directement le soleil, cela pourrait endommager tes yeux.

Les étoiles que tu vois la nuit sont des **boules de gaz brûlantes** et **brillantes,** tout comme notre Soleil.

Les étoiles peuvent vivre des **milliards** d'années.

Les étoiles les plus chaudes sont blanches ou bleues.

Les étoiles les moins chaudes et les plus vieilles sont orange ou rouges.

Quelles étoiles portent des lunettes de soleil?

Les étoiles montantes!

QUELQUES ACTIVITÉS

Observation de la température

Fais un graphique avec des carrés, un pour chaque jour du mois. Chaque jour, fais un petit dessin pour illustrer le temps qu'il fait. Par exemple, dessine un flocon de neige ou un nuage qui cache en partie le soleil.

Des flocons de neige en papier

Plie un morceau de papier comme sur l'illustration ci-dessous. Ensuite, fais de petites entailles un peu partout et tu obtiendras un beau flocon de neige à six pointes. Colle tes flocons sur une fenêtre ou sur un carton de couleur.

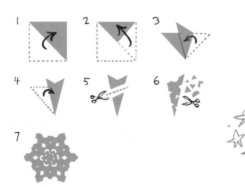

Bricole-toi un arbre

Sur un morceau de papier épais ou de carton, peins le tronc et les branches nues d'un arbre. Quand la peinture est sèche, colle de petits morceaux de papier de soie froissés sur les branches. Voudras-tu faire un arbre vert, comme en été? Ou un arbre rouge, jaune et orange, comme en automne?

Observation des étoiles

Habille-toi bien chaudement, et, avec un adulte, va observer le ciel un soir où il n'y a ni lune ni nuage. Si tu as de la chance, tu verras peut-être une étoile filante!

Publié initialement en anglais en 2017, au Royaume-Uni, par QED Publishing.

Catalogage avant publication de Bibliothèque et Archives Canada

Nicholson, Sue, 1961-
[Can you touch a rainbow? Français]
Est-ce possible de toucher un arc-en-ciel? / Sue Nicholson; illustrations de Lalalimola; texte français du Groupe Syntagme.

(Les petits je-sais-tout)
Traduction de: Can you touch a rainbow?
ISBN 978-1-4431-6817-5 (couverture souple)

1. Terre—Ouvrages pour la jeunesse. I. Lalalimola, illustrateur II. Titre III. Titre: Can you touch a rainbow? Français.

QB631.4.N5314 2018   j550   C2017-906117-8

Édition publiée par les Éditions Scholastic, 604, rue King Ouest, Toronto (Ontario) M5V 1E1 avec la permission de QED Publishing.

5 4 3 2 1   Imprimé en Chine CP141   18 19 20 21 22

Conception graphique : Victoria Kimonidou.